Benjamin, le champion

Données de catalogage avant publication (Canada)

Bourgeois, Paulette
    [Franklin plays the game. Français]
    Benjamin, le champion

Traduction de: Franklin plays the game.
ISBN 0-590-24535-X

I. Clark, Brenda. II. Titre. III. Titre: Franklin
plays the game. Français.

PS8553.086F7214 1995   jC813'.54   C95-930133-X
PZ23.B86Be 1995

ISBN 0-590-24535-X

Titre original : Franklin Plays the Game
Édition publiée par Les éditions Scholastic, 123, Newkirk Road, Richmond Hill, (Ontario)
L4C 3G5, avec la permission de Kids Can Press Ltd.

Benjamin, le champion

Paulette Bourgeois
Illustrations de Brenda Clark
Texte français de Christiane Duchesne

Les éditions Scholastic

BENJAMIN sait glisser dans la rivière. Il sait nouer ses lacets et compter par deux. Il peut se rendre tout seul chez Ourson. Mais il n'arrive jamais à lancer un ballon de soccer dans le but. C'est un grave problème, car Benjamin rêve d'être le meilleur joueur de son équipe.

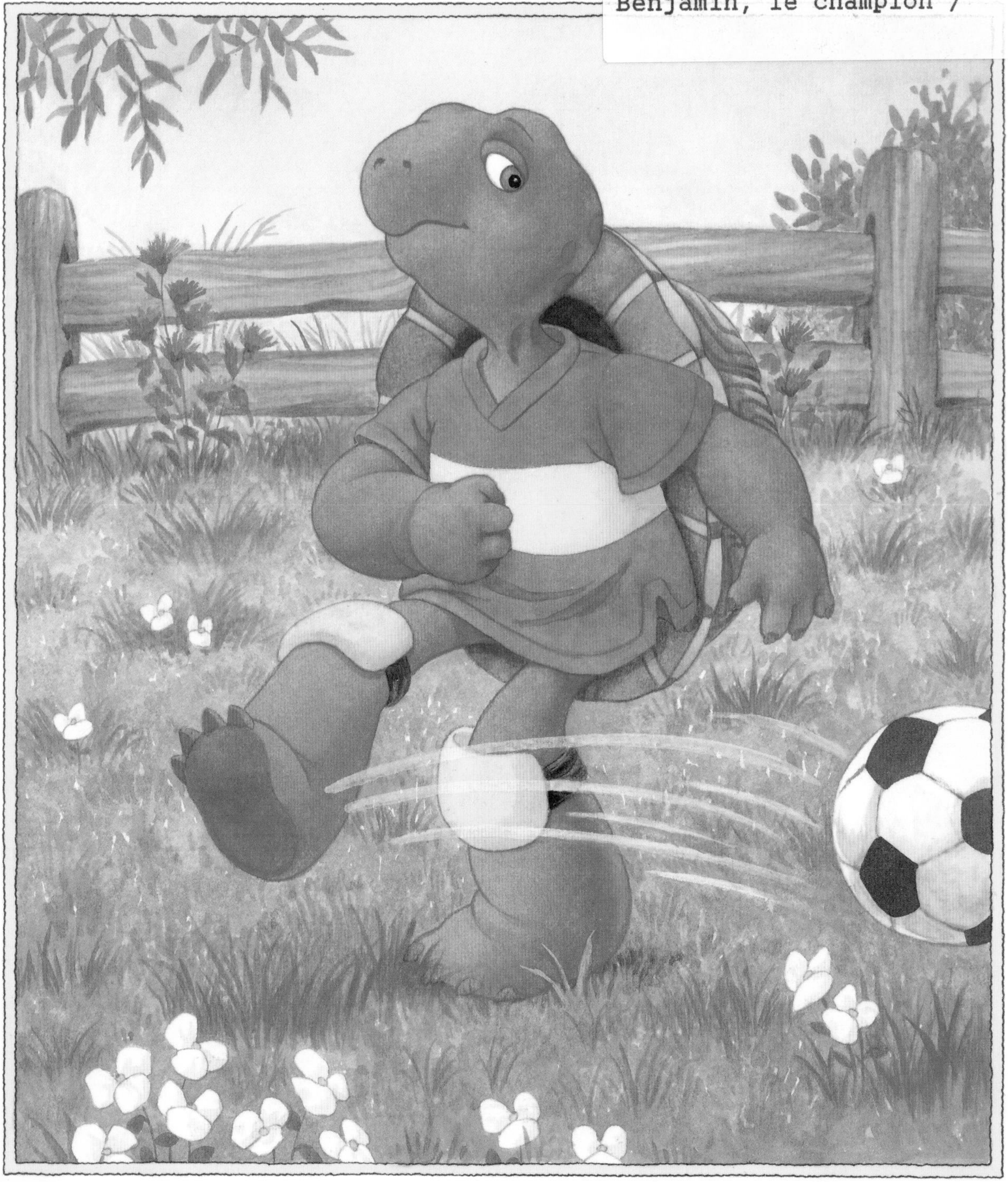

Benjamin adore le soccer. Il aime courir et dribbler. Il aime surtout l'uniforme. Il porte son beau chandail violet et jaune et ses jambières même quand il ne joue pas au soccer.

Parfois, il dort avec son ballon et marque des buts en rêve.

Avant chaque partie, Benjamin s'entraîne dans le parc. Il lance et relance le ballon avec l'intérieur de sa patte. Il fait des exercices de réchauffement, puis de la marche pour reprendre son souffle.

Mais Benjamin a des problèmes. Il ne court pas très vite, même sans ballon de soccer entre les pattes. Et quand il lance le ballon, il n'atteint jamais son but.

Bernache regarde le ballon de Benjamin voler dans les buissons.

— Je ne compterai jamais de buts, dit tristement Benjamin.

— Ni moi, dit Bernache. J'oublie toujours qu'il est interdit de toucher le ballon avec mes ailes, à moins d'être gardien de but. Tout le monde se fâche contre moi.

Bernache montre à Benjamin combien elle peut étendre ses ailes.

Castor observe aussi.

— Je ne compterai jamais de buts, dit-il, parce que ma queue est si grosse et si lourde qu'elle m'affaiblit.

Castor court un peu. Benjamin et Bernache comprennent aussitôt son problème.

— Pas étonnant que nous soyons toujours perdants, rouspète Benjamin.

C'est vrai. L'équipe de Benjamin n'a pas gagné une seule partie au cours de la saison. L'équipe d'Ourson a gagné toutes les parties.

L'entraîneur ne s'en fait pas trop. Il dit la même chose avant chaque partie : «Nous sommes là pour nous amuser!»

Les parents de Benjamin ne s'en font pas trop non plus. «Bel essai!» lancent-ils chaque fois que Benjamin touche le ballon.

Mais Benjamin, lui, s'en fait énormément.

— Qu'est-ce qui ne va pas? demande le père de
Benjamin.

— Je ne marque jamais de buts.

— Mais tu fais de ton mieux et tu t'amuses, ajoute
son père. C'est ce qui compte.

Benjamin hoche la tête. C'est ce que disent tous les
adultes. Mais il voudrait tant que tout le monde
l'applaudisse. Il veut marquer un but.

Benjamin n'est pas le seul à se sentir perdant. Tous ses amis voudraient, eux aussi, marquer des buts. Mais plus ils essaient, pire c'est. Benjamin oublie sa position, Bernache oublie les règles du jeu.

Dès que le ballon est dans leur camp, ils se jettent dessus. Les joueurs trébuchent dans les pattes, les queues et les longues oreilles. L'équipe se retrouve par terre, pêle-mêle.

L'entraîneur les aide à se démêler.

— Vous devez travailler en équipe! Il faut vous passer le ballon.

Mais ce n'est pas facile. L'équipe de Benjamin perd encore une fois. Les joueurs sont tout tristes. Benjamin se recroqueville dans sa carapace. Castor replie sa queue et Bernache, ses ailes.

L'équipe adverse traverse le terrain pour la poignée de main de fin de match.

– Bel essai, dit Ourson.
Benjamin ne sort pas de sa carapace.
Ourson fait rebondir le ballon.
– Sors de là, Benjamin, dit encore Ourson.

Benjamin sort la tête juste au moment où le ballon arrive. Il le renvoie d'un coup de tête. Le ballon vole vers Bernache.

Elle ouvre les ailes.

— Et c'est l'arrêt! lance Benjamin.

Castor est si excité qu'il frappe le sol de sa queue.

— C'est ça! crie Benjamin.

— Ça quoi? demande Ourson.

Benjamin sourit à Castor et à Bernache.

— Je pense que je sais comment nous allons compter des buts, dit-il en passant sa main sur sa tête. Mais il va falloir tout un travail d'équipe.

Chaque jour avant la partie suivante, Benjamin et
son équipe s'entraînent dans le parc. L'entraîneur les
aide à travailler un jeu spécial.

Ils rient, ils dribblent, ils sautent.

Ils jouent sous la pluie et glissent dans la boue.

Un jour, Ourson passe les voir.

— Qu'est-ce que vous faites? demande-t-il.

— On s'amuse, c'est tout, répond Benjamin.

Il peut à peine attendre la prochaine partie.

Enfin, c'est la dernière partie. Les joueurs se serrent les uns contre les autres.

— On va leur montrer ce qu'on sait faire, dit Benjamin.

Mais au cours des premières minutes de jeu, l'équipe d'Ourson compte un but.

— C'est l'heure de votre jeu spécial! dit l'entraîneur.

Bernache garde le but. Avec ses grandes ailes, elle réussit trois arrêts spectaculaires. La foule l'acclame.

Bernache repère Benjamin sur le terrain et lui lance le ballon. Il le reçoit sur la tête et, d'un coup sec, le renvoie à Castor. D'un coup de queue, Castor le passe à Lapin, qui, de sa grosse patte, lance le ballon dans le filet. L'équipe de Benjamin vient de marquer!

Les joueurs sautent de joie et se félicitent les uns les autres.

Ils jouent de leur mieux jusqu'à la fin de la partie.

Benjamin réussit deux lancers de tête, mais personne ne marque. L'équipe d'Ourson marque encore et remporte la victoire.

L'entraîneur donne un ruban à chacun des joueurs.

— Il y a de quoi être fiers! dit-il. Vous avez vraiment travaillé en équipe. Vous avez tous aidé à rentrer le but.

Les parents de Benjamin invitent toute l'équipe à fêter.

— Pourquoi? demande Benjamin. Nous n'avons pas gagné.

— Pour nous, vous êtes des champions, dit le père de Benjamin.

Benjamin doit bien l'avouer. Les joueurs sont
fatigués, crottés de la tête aux pieds, et heureux.
Comme une vraie équipe de champions!